Robots

Altea

Santillana Ediciones Generales S.A. de C.V., 2004
Av. Universidad 767, Col. Del Valle
México, D.F. 03100, Teléfono 54 20 75 30

Primera Edición: 2005

ISBN 970-770-096-3

Título original: Robots
Edición original: Kingfisher Publications Plc
Cuidado de esta edición: Gerardo Mendiola y Carlos Tejada
Traducción, adaptación y diseño de interiores: Alquimia Ediciones S.A. de C.V.

Impreso en China

Agradecimientos
La editorial quisiera agradecer a aquellos que permitieron la reproducción de las imágenes. Se han tomado todos los cuidados para rastrear a los propietarios de los derechos de las mismas. Sin embargo, si hubiese habido una omisión o fallo la editorial se disculpa de antemano y promete, si es informada, hacer las correcciones pertinentes en una siguiente edición.
*i = inferior; ii = inferior izquierda; id = inferior derecha; c = centro; ci = centro izquierda;
cd = centro derecha; s = superior; sd = superior derecha; d = derecha*

Fotografías: *Portada*: Oscar Williams © 1997/ BBH Exhibits Inc. 6-7 *c* Sony/SDR-4X; 8-9 *i* Getty Images; *c* eMuu, Dr. Christoph Bartneck, Technical University of Eindhoven; *id* Peter Menzel/Science Photo Library; 10-11 *ii* James King-Holmes/Science Photo Library, *id* Photo: (Ingrid Friedl) Lufthansa Technik Skywash/Lufthansa, Putzmeister AG; *sd* Space and Naval Warfare Systems Center, San Diego; 12-13 *ci* © Randy Montoya, Sandia National Laboratories; *c* Robosaurus/Doug Malewicki, Monster Robot Inc., *sd* Coneyl Jay/Science Photo Library; 14-15 *ii* Honda Asimo; *sd* Eriko Fugita/Reuters/Popperfoto; *c* Sam Ogden/Science Photo Library;16-17 *ii* Sony/AIBO ERS-220; *sd* © Dr. Gavin Miller SnakeRobots.com, Copyright 2000; *d* BBH Exhibits Inc./Oscar Williams; 18-19 *ci* Richard Bachmann, Gabriel Nelson and Roger Quinn at Case Western Reserve University; *ic* MIT, Bruce Frisch/Science Photo Library; *sd* Sarcos; 20-21 *sd* PA photos/Sony; *id* PA photos; *sd, ii* TM Robotics (Europe) Ltd/Toshiba; 22-23 *ic* Associated Press; *ii* MIT Media Lab, Getty Images; *sd* NASA/Carnegie Mellon University, Science Photo Library; 24-25 *ii* modelluboot@t-online.de (Norbert Brüggen); *c* Getty Images; *sd* Associated Press; 26-27 *ii* NASA/Science Photo Library; *sd* NASA/Science Photo Library; *id* Media Resource Center NASA/ Lyndon B. Johnson Space Center; 28-29 *sd* Courtesy of the School of Mechanical Engineering, The University of Western Australia; *i* Louisianna State University; *cd* © Ron Sanford/CORBIS; *si* Digital Vision; 30-31 *sc* PaPeRo/© NEC Corporation 2001-2003; *ci* © Roger Ressmeyer/Corbis; *id* Electric handout/Reuters/Popperfoto; 32-33 *ii* Spencer Grant/Science Photo Library; *id* Roy Garner/Rex Features; *td* CRASAR™/www.crasar.org; 34-35 *ii* Associated Press; *c* © Cynthia's Bar and Restaurant; *sd* Associated Press; 36-37 *ic* Peter Menzel/Science Photo Library; *ci d.* AeroVironment Inc.; *sd* www.edwards.af/Edwards Air Force Base; 38-39 Peter Menzel/Science Photo Library; 40-41 *ii* Tri-Star for *Short Circuit*/Kobal; *ii* Sautelet, Jerrican /Science Photo Library; *sd* AAR Productions/Kobal. *Short Circuit* Tri-Star Pictures; *Return of the Jedi* Lucasfilm; *Doctor Who* BBC TV

Fotografías (por encargo) de las páginas 42-47 por Andy Crawford.
Gracias a los modelos Eleanor Davis, Lewis Manu, Daniel Newton, Lucy Newton, Nikolas Omilana y Olivia Omilana.

Robots

Clive Gifford

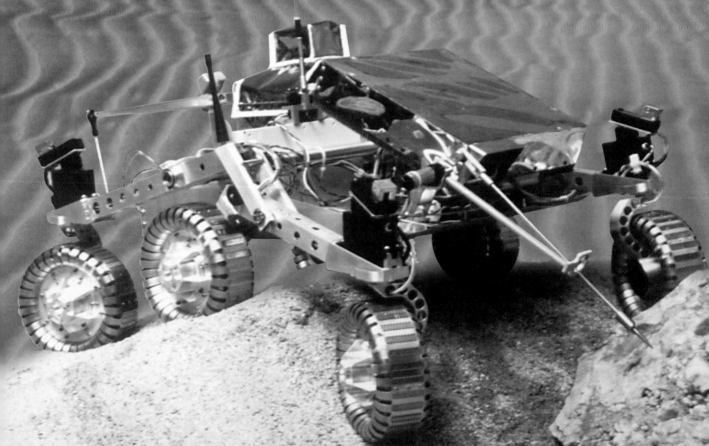

Contenido

¿Qué es un robot?

Los robots son asombrosas máquinas que funcionan solas. Pueden ir a muchos lugares: desde el espacio exterior hasta lo profundo del mar.

Ojos, oídos, boca

Los robots reciben información externa por medio de sensores. Este robot de Sony tiene sensores que registran el sonido y cámaras que capturan imágenes.

sensores – *aparatos que captan información del mundo exterior*

Trabajadores manuales

Los robots suelen realizar diversas tareas. Sus manos les permiten sujetar y usar diversos tipos de objetos y herramientas.

Cómo se mueven

Muchos robots se mueven mediante ruedas, bandas de oruga (como los tanques) o piernas. Este robot tiene piernas, como los humanos.

Controladores

Los controladores son el cerebro del robot: le permiten tomar decisiones y accionar sus partes. Los controladores suelen ser computadoras.

Veloces pensadores

Deep Junior puede pensar tres millones de jugadas de ajedrez por segundo. Aquí está en una partida con el ex campeón mundial de ajedrez Garry Kasparov.

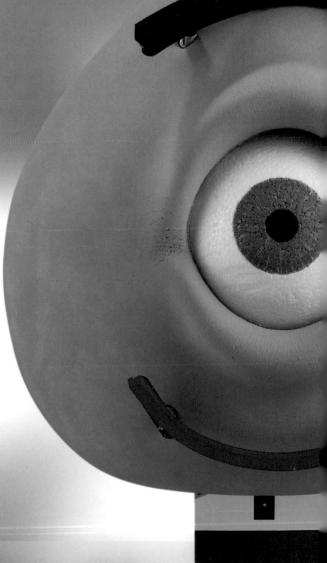

Sus sentimientos

Este robot, llamado *eMuu,* interactúa con las personas y puede expresar muchos estados anímicos, como la felicidad, el enojo y la tristeza.

Aprende a caminar

Algunos robots son controlados directamente por las personas; otros son autónomos, como este robot japonés que aprende a caminar solo.

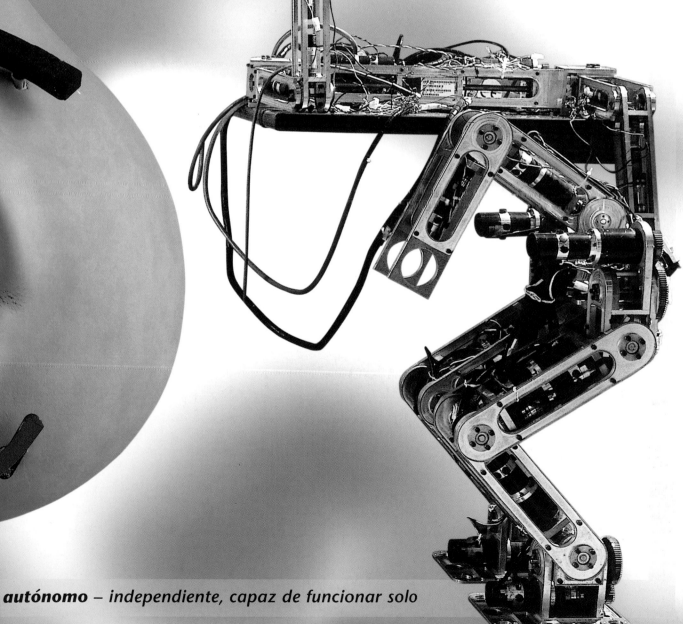

autónomo – *independiente, capaz de funcionar solo*

Brazos robóticos

Los robots con brazos son los más comunes. Su brazo articulado puede moverse en varias direcciones, como el humano.

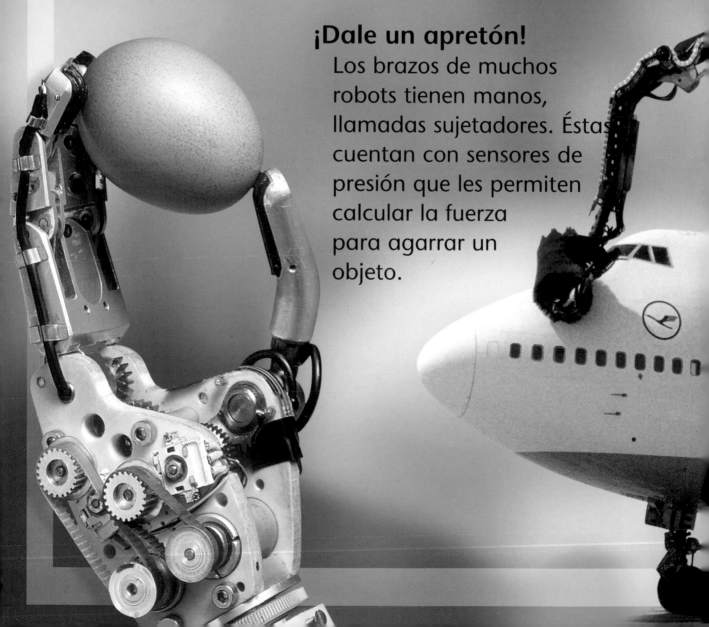

¡Dale un apretón!

Los brazos de muchos robots tienen manos, llamadas sujetadores. Éstas cuentan con sensores de presión que les permiten calcular la fuerza para agarrar un objeto.

Guardias robóticos

Este guardia robotizado rastrea a los intrusos. En el brazo izquierdo lleva una mira; con el derecho controla una pistola de dardos.

Lavado de un jet

Skywash, un gigantesco brazo robótico, lava jets jumbo en un tiempo récord: le lleva tres horas realizar una tarea que, sin él, requeriría más de doce.

Grandes y pequeños

Los robots varían mucho en forma y tamaño. Los más grandes miden muchos metros y pesan toneladas. Según su tamaño, emplean diferentes sistemas de energía para accionar sus partes.

Poderoso monstruo

Robosaurus es un enorme compactador de autos. Usa energía hidráulica para destrozar autos, camiones, ¡e incluso aviones!

Maravilloso *MARV*

MARV es un robot móvil tan pequeño que cabe en una moneda. Su motor se activa con baterías para reloj. *MARV* se desplaza a una velocidad de 50 cm por minuto.

---

energía hidráulica – sistema en que los líquidos generan la fuerza

Cada vez más pequeños

Algún día, los robots serán tan pequeños que podrán viajar dentro de nuestro cuerpo: serán capaces de recorrer nuestras venas, limpiando y reparando.

Robots humanoides

A las personas les fascinan las máquinas que se les parecen y actúan como ellas. Hoy se construyen robots humanoides que pueden realizar las más diversas tareas.

Escaladores

Los científicos se han esforzado para que los robots mantengan el equilibrio cuando caminan. *Asimo,* el robot de Honda, puede subir escaleras sin dificultad.

¿Quieres pasear?

Este robot humanoide de Asia trabaja paseando a las personas. Está activado por motores que lleva en la cabeza y en el pecho.

Expresa tus sentimientos

Kismet es uno de los pocos robots con expresión facial. Boca, párpados, cejas y ojos se mueven para expresar temor, felicidad, disgusto, interés y sorpresa.

humanoide – *que parece y actúa como persona*

Animales robot

Algunos robots tienen forma de animal. A veces es así porque son modelos animatrónicos para una película. Los científicos se inspiran en animales para suavizar los movimientos de los robots.

Serpientes vivas

Las serpientes se deslizan por el suelo. Esta serpiente robot *S5* puede deslizarse a lo largo de tubos y otros espacios estrechos.

Un nuevo amiguito

AIBO ERS-220 de Sony es un nuevo robot móvil programado para actuar como perro. Reconoce 75 palabras y responde cuando su dueño lo llama por su nombre.

animatrónico – *se dice del modelo animado por computadoras y la robótica*

Robot de altura

Esta jirafa robot usa partes mecánicas para mostrar cómo funcionan los órganos de los animales reales. El Zoológico Robot realiza giras por todo el mundo.

Insectos robot

Los insectos pueden vivir en muy diversos lugares. Los fabricantes de robots los han tomado como modelo para crear robots que puedan trabajar en condiciones extremas.

¡Robo-racha!

Ajax se diseñó como una cucaracha. Cada pata delantera tiene cinco articulaciones, y conserva el equilibrio con sólo tres de sus seis patas.

Insectos voladores

Este modelo de mariposa monarca aletea usando músculos de alambre, que se acortan cuando se les aplica electricidad.

Rastreador

Genghis es uno de los primeros insectos robot que se construyeron. Sus seis patas le permiten desplazarse en terrenos accidentados. Cuando se topa con algo muy grande, retrocede y busca otro camino.

Para divertirse

Los deportes son diver-
tidos para la gente,
pero para los robots significa
ponerlos a prueba: necesitan
tomar decisiones con rapidez
y mover sus partes con
agilidad y destreza

Un partido de voleibol

Estos robots japoneses de
prueba aprenden a jugar
voleibol. Usan una cámara
para seguir el trayecto de
la pelota, y sincronizan sus
movimientos para atrapar
la pelota en el aire.

¡Gol!

Este robot, *Sony SDR-3X,* se equilibra en un pie y activa sus articulaciones para patear una pelota y anotar. Es bastante rapidez para un robot, pero una persona se mueve 20 veces más rápido.

Copa Mundial para robots

Estos robots compiten por la "Robocopa" en el campeonato mundial para robots móviles. Usan sensores para saber dónde están sus compañeros y la pelota.

Exploradores robot

Es posible crear robots que exploren lugares muy peligrosos para los humanos. Los robots fotografían y envían información útil sin necesidad de que nadie se arriesgue.

Robo-reportero

Este robot de prueba, *Afghan Explorer,* algún día podrá visitar zonas de guerra. Como reportero, enviaría fotos y entrevistas a un estudio ubicado en un lugar seguro.

Dentro del volcán

Dante II se llama este robot de ocho piernas. Puede escalar el cráter de un volcán, recolectar muestras de gas y tomar fotos con sus ocho cámaras.

En el frío y en el calor

Nomad Rover es del tamaño de un auto pequeño. Ha recorrido candentes desiertos y heladas tierras, reuniendo información para los científicos. En Antártida descubrió 5 meteoritos.

meteorito – *trozo de roca o de metal que cae en la Tierra desde el espacio*

Robots subacuáticos

Muchos robots operan bajo el agua: hacen mapas submarinos, registran la vida allí y buscan restos de naufragios. Se sumergen a mayores profundidades que las personas y sin riesgos.

Submarino sin tripulación

Los robots pueden estar bajo el agua muchos días. También pueden viajar cientos de kilómetros explorando el océano.

naufragio – *hundimiento de un barco o cualquier embarcación*

Explorador del fondo marino

Robots como *Deep Drone* llegan al fondo del océano y permiten recuperar aviones derribados o barcos hundidos. *Alcanza* profundidades 40 veces mayores que los buzos humanos.

Medusa robot

Algunos robots acuáticos se parecen a las criaturas marinas. Esta medusa robot tiene un pequeño motor eléctrico que le permite emerger y sumergirse en el agua como si fuera real.

Robots espaciales

Los astronautas no pueden sobrevivir en el espacio sin equipo especial, pero los robots sí. Pueden trabajar en lejanos planetas y comunicarse a la Tierra mediante señales de radio.

Fotos espaciales

Aercam Sprint es un robot que puede fotografiar el exterior de un explorador o de una estación espacial. Su tamaño es el de un balón de playa y envía fotos a los astronautas que permanecen en la nave.

Astronautas robot

Robonaut es un robot de prueba de la NASA para trabajar como constructor en el espacio. Tiene dos brazos con los que puede manejar herramientas.

Misión a Marte

Sojourner Rover, de la NASA, fue el primer robot que recorrió parte de otro planeta. En 1997, el robot de seis ruedas exploró un área de la superficie de Marte.

NASA – *abreviatura de Agencia Espacial de Estados Unidos*

Robots de granja

El trabajo en el campo es duro. Los robots ayudan en tediosas tareas. Los robots campesinos pueden manipular plantas pequeñas, ayudar en la cosecha o ahuyentar plagas.

Persigue aves

Scarebot es un robot que patrulla estanqu[e]s de bagres en Estados Unidos. Sus movimie[n]tos repentinos alejan los pelícanos y otras aves que esperaban cenar pescado.

programar – *dar a una computadora instrucciones de lo que debe realizar*

¡Corte mágico!

Este robot de Australia está programado para cortar la lana de las ovejas. Puede repetir la tarea una y otra vez sin cansarse.

Robots en casa

¡Los robots llegan a casa! Los más recientes realizan útiles tareas en el hogar. Estos robots necesitan saber andar por la casa y ser capaces de comunicarse con sus dueños.

¿Listo para desayunar?

Los robots aún no pueden preparar alimentos, pero sí llevarlos a nuestra cama. Estos robots suelen tener en la memoria un plano de la casa. También necesitan sensores para detectar los objetos con los que pueden toparse.

comunicarse – *enviar y recibir mensajes*

Compañeros en el hogar

Los *PaPeRos* van por la casa buscando con quién hablar. Pueden reconocer 650 palabras y oraciones y decir 3,000 palabras. ¡Incluso bailan!

¡Cuidado con el perro!

Este perro robótico patrulla la casa para ver que todo esté en orden. Si detecta alguna irregularidad, enviará fotografías al teléfono celular de su amo.

Robots de rescate

Algunos robots salvan vidas: apagan el fuego, buscan supervivientes o manipulan objetos peligrosos, como bombas que están por estallar.

Manipulación de bombas

Estos robots analizan objetos sospechosos con sus cámaras y transmiten la información a expertos alejados y a salvo de la zona de peligro.

sospechoso – *algo o alguien que puede ser peligroso*

SEP 15 2001
11:25:01 PM

Llegan a todas partes

Packbot va a zonas para detectar peligro. En 2001, recorrió las ruinas de las Torres Gemelas en busca de super-vivientes.

Tragahumo

Los robots soportan el fuego mejor que las personas. Por ello son excelentes bomberos: se acercan lo suficiente como para extinguir un incendio.

A sus órdenes

Los robots de servicio pueden realizar tareas útiles, repetitivas, cotidianas. Son trabajadores dedicados y no se aburren si tienen que hacer lo mismo una y otra vez.

¡Tanque lleno!

Llenar el tanque de gasolina puede resultar complicado, pero no para este robot, cuyo brazo puede encontrar el tanque del auto y llenarlo con la cantidad que desee el conductor.

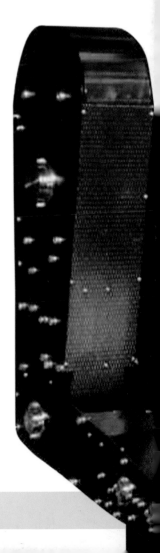

repetitivo – *que se hace una y otra vez*

Carga con los palos

Intelecady carga la bolsa de palos de golf. El robot tiene en su memoria un mapa del recorrido, y así evita las trampas de arena y los riachuelos.

Una copa

Cynthia es una robot cantinera de Londres, Inglaterra. Sus brazos pueden elegir, tomar y servir los licores para prepararles a los clientes 60 bebidas diferentes.

Robots espía

Los espías deben ser astutos y sigilosos, pero los robots pueden penetrar en lugares inaccesibles a los demás y trasmitir información. Si son atrapados, los robots no revelarán secreto alguno.

Mini-espía

Los robots más pequeños alcanzan ciertos lugares sin ser detectados. Este robot volador tiene 15 cm de diámetro y puede volar durante 30 min gracias a un motorcito.

Se sostiene en el aire

Cypher, de 1.8 metros de diámetro, puede sostenerse en el aire, en el exterior de los rascacielos. Es capaz de ver y escuchar reuniones secretas usando micrófonos y cámaras.

¿Alguien te vigila?

Roswell es un robot con 16 sensores. Los futuros robots espía podrán identificar a las personas y seguirlas.

Robots médicos[2]

Los robots pueden trabajar con precisión durante horas sin cansarse. Son ayudantes perfectos de los cirujanos en las operaciones quirúrgicas.

Un pulso firme

Un cirujano controla a *Da Vinci* mientras observa una ampliación de la zona operada. Los brazos del robot tienen herramientas quirúrgicas con los que se hace la operación.

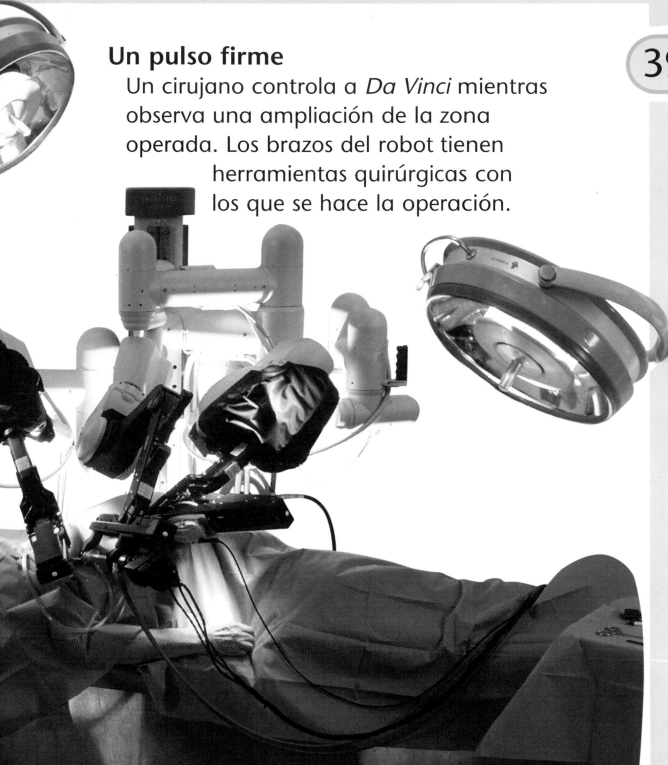

ampliación – *agrandamiento de algo*

De ciencia ficción

Antes de que se construyeran, los robots eran populares en las obras de ciencia ficción. Muchos de estos robots tienen poderes increíbles, y a menudo se les presenta luchando por apoderarse del mundo.

Corto circuito

Este robot es *Núm. 5,* estrella de la película *Corto Circuito.* Al principio es un arma, pero después de ser golpeado por un rayo, *Núm. 5* se niega a pelear y empieza a aprender y pensar por su cuenta.

¡Extermina!

Muchos robots de ciencia ficción son perversos, como *Dalek,* del programa *Doctor Who.* Sin embargo, los robots no son más peligrosos de lo que los programan las personas.

Robots actores

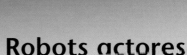

Este modelo animatrónico de Yoda es de la película *El regreso del Jedi.* Sus múltiples motores le permiten realizar movimientos muy realistas.

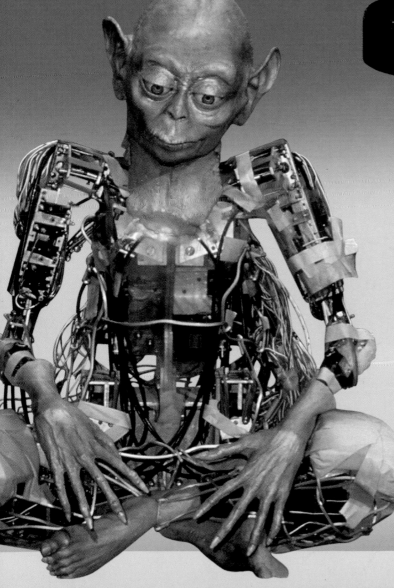

42 ¡Robot sorpresa!

Haz un robot de cajones secretos

Los robots son organizados y encuentran rápidamente la información. Haz un robot de cajones secretos para que puedas ocultar tus tesoros ¡y para mantener ordenada tu habitación!

Necesitas
- Una caja de zapatos
- Una caja pequeña
- Pinturas de acrílico
- Un pincel
- Tijeras
- Una franela
- Pegamento
- Tubos de cartón
- Envolturas de dulces
- Bolas de ping-pong
- Cinta adhesiva de doble cara
- Limpiapipas

1

Pinta las cajas y los tubos y déjalos secar. Corta los dos extremos angostos de la tapa de la caja de zapatos a lo largo del doblez.

2

Fija un extremo de la tapa de la caja a ésta usando pegamento o cinta con doble adhesivo. Presiona con firmeza. Corta la franela en la forma de dos manos. Cubre la pelota de ping-pong con envoltura de dulces o con papel de color.

3

Con la cajita haz la cabeza. Decórala con los limpiapipas. Corta en dos el tubo y pega las manos en cada una de las mitades del tubo. Pega éstas a los lados de la caja. Pega los tubos como si fueran los pies. Pega la pelota a la caja como agarradera.

(44) Muévete como robot

Haz un brazo móvil

Es posible programar al robot para que haga diversas tareas. Puede sujetar cosas y transportarlas. Con este brazo podrás agarrar clips.

1

Con las tijeras, corta cuidadosamente el cartoncillo en tiras del mismo largo y del mismo ancho.

Necesitas
- Tijeras
- 2 pliegos de cartoncillo
- Broches para papel y clips
- Pegamento
- Imán pequeño

2

Forma una celosía cruzada con las tiras, uniéndolas con los broches para papel. Tendrás que usar uno de éstos en la parte media y en los extremos de las tiras.

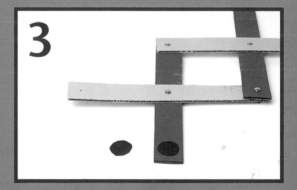

3

Pega cada uno de los dos imanes en los extremos del brazo. Abre y cierra éste para agarrar los clips.

Camina como robot

Pocos son los robots que piensan por su cuenta: la mayoría necesita seguir instrucciones. Al caminar, los ojos te permiten ver los obstáculos y tu cerebro se las arregla para evitarlos. Aprende aquí a moverte como un robot, es decir, obedeciendo instrucciones.

Pídele a un amigo que te ayude a hacer un laberinto con muebles. Cierra los ojos, pero ¡no hagas trampa! Que tu amigo te diga por dónde caminar a través del laberinto sin tropezar con las cosas. ¡Si te equivocas con las instrucciones te pegarás!

(46) Modelos maravillosos

Haz un robot

Los robots tienen formas y tamaños varios. Haz uno con cajas y tubos de cartón que ya no utilicen en casa. Dale la forma y el tamaño que quieras.

Necesitas
- Cajas y tijeras
- Pelotas de ping pong
- Vasos de plástico
- Pegamento
- Tubos de cartón
- Papel aluminio
- Tapa de cartón
- Limpiapipas
- Cartulina
- Papel de dulces
- Papel de colores
- Cinta adhesiva

1

Pega el papel aluminio alrededor de cuatro de los tubos de cartón y sobre las cajas.

2

Forra otro tubo de cartón con papel de color. Corta sus extremos como se ve en la foto: así se sostendrá.

3

Pega el papel de dulces o el de color en la tapa de cartón. Luego pega ésta a la caja grande.

4

Pega los vasos en un extremo de la caja. Pega luego un pedazo de cartón para que se sostenga.

Decora la cajita con pelotas pintadas de ping pong y limpiapipas. Pega ahora lo que serán sus brazos.

Abre los extremos cortados del tubo de cartón que decoraste. Pégalo a la cabeza y al cuerpo.

Índice